Mo
Thérèse

Pas touche à mon coussin !

écrit par Gérard Moncomble
illustré par Frédéric Pillot

HATIER
POCHE

1
Suzanne est zinzin

J'aime dormir sur mon coussin.
Il est tout mou, aussi doux
qu'un bisou. Je l'adore.
J'y fais des siestes délicieuses.
Au moins dix par jour.

Aujourd'hui, Suzanne,
ma petite maîtresse, me dit :
– Ton coussin sent mauvais.
N'importe quoi. Mon coussin
sent le coussin, c'est tout.
Je ne bouge pas d'un poil.
– Je vais le nettoyer. Sors de là!

Hein? Suzanne est zinzin!
Elle attrape le coussin
et le secoue furieusement.
Rien à faire. Le coussin
et moi ne faisons qu'un.
– Tant pis pour toi, Thérèse!
claironne Suzanne.

Et elle nous embrasse tous
les deux. Elle nous serre très fort
contre elle, en dansant.
Ah! Les câlins de Suzanne
sont pires qu'un ouragan!

Alors je lâche prise. Je déteste
les caresses pendant ma sieste.
Suzanne le sait bien, la maligne.

Elle agite le coussin en criant :
– C'est qui, la chef?
D'accord. Elle a gagné.
Mais ma vengeance sera terrible!

D'un bond, je saute
par la fenêtre.
Adieu, Suzanne!

2
Faire dodo à tout prix

Dehors, quel vacarme!
Il y a les VROUM des autos,
les TUT-TUT des klaxons,
le BLA-BLA-BLA des passants.
Agaçant. Où faire ma sieste?
Dans cette poussette vide!
Hop! je me roule en boule
sur l'oreiller. C'est douillet.

Soudain la poussette tremblote,
ballotte. Ça gigote sur la couette.
Matoucrotte! Bébé est revenu!
Deux menottes tripotent
mes moustaches. Aïe! La petite
canaille me prend pour sa
peluche!

Je bondis hors du nid. Le bébé rit, la maman crie.
C'est raté.
Mais je m'appelle Thérèse.
Et les Thérèse sont têtues.
Très têtues.
Je continue!

13

Ah! Un bac à fleurs,
voilà un joli lit. Je me glisse
parmi les lys. Le museau dans
la mousse, le ventre au soleil.
J'adore faire dodo sur le dos.
Hélas! Des abeilles bourdonnent
dans mes oreilles!
Elles me butinent le nez!

Bas les pattes, demoiselles!
Ai-je l'air d'une tulipe?

Une fois encore, je déménage.
Je trotte, j'explore, je fouille.
Je grimpe sur les murs, je visite
les toits. Rien, pas le moindre
coin où se nicher.
Ce quartier m'exaspère.

Voyons cette fenêtre ouverte...
Je m'approche à pas de loup
et jette un œil.
Un canapé,
des bibelots,
une cheminée,
un vieux bureau.
Pas un bruit.
Un petit paradis.
Chic! Je m'y faufile.

Dormir, enfin!
Dormir!

3
Le dragon poilu

Le canapé a l'air tout mou.
Je le tâte du bout de la patte.
Hmmm... de la crème Chantilly...
Je laboure le tissu de mes griffes.
Je m'y roule en boule,
ronronne comme un tracteur.
Quel bonheur...
Je vais m'endormir
en un clin d'œil.

Soudain, le plancher se met
à trembler, à danser, à sauter.
J'entends d'affreux grognements.
Un monstre galope dans
l'appartement! Un dragon poilu
et griffu me fonce dessus!

Je jaillis du canapé, bouscule
une pendule, casse une glace!
Derrière moi, ça couine!
Ça patine, ça dérape!
Les casseroles dégringolent,
les vases s'écrasent...

Où est la sortiiiie?

Ah, ici! Hop! me voilà dehors!
Et le bêta, là-bas, qui lance
ses « ouah! ouah! ouah! ».
Aboie, tête d'anchois, aboie!
Mon dodo est à l'eau, une fois
de plus. Espèce de sac à puces!
Tant pis. Pour aujourd'hui,
c'est fini. Je rentre au logis.

Mon coussin est revenu dans
le panier. Horriblement propre.
Il empeste le savon à la violette.
– Tu boudes encore, Thérèse
chérie? chantonne Suzanne,
et pouh! elle me fait un bisou
sur le bout du nez.
Alors, je lui pardonne.

Et je m'endors dare-dare
sur mon coussin adoré.
Malgré l'affreux parfum,
c'est le roi des coussins.

joue avec moi

As-tu une mémoire d'éléphant?

1. *Où est mon **coussin**?*

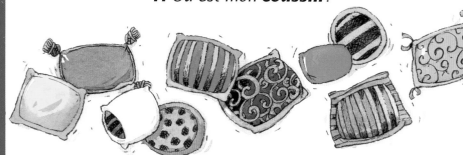

2. *Quelle est la **bestiole** qui m'empêche de dormir?*

3. Qui me tripote les **moustaches**?

a.

b.

c.

d.

4. Qui est l'affreux **dragon** poilu?

a.

b.

c.

d.

Salut! Moi, c'est **Thérèse**. La Thérèse en vrai,
avec des poils et des moustaches.
Je vis avec Gérard Moncomble et sa famille
dans une grande maison à la campagne.
J'ai des croquettes, un coussin
et je dors toute la journée.
Le bonheur, ça s'appelle.

Ça, c'est **Frédéric**, **Gérard** et moi.
Le grand blond me dessine avec ses crayons
et ses pinceaux. Le barbu raconte
mes histoires. En plus, ils me caressent
tout le temps.

Hé, ho! Moi aussi,
je peux faire ma star, hein!
Pour qui elle se prend,
celle-là?

HATIER
POCHE

POUR DÉCOUVRIR :

> **des fiches pédagogiques** élaborées par les
enseignants qui ont testé les livres dans leur classe,
> **des jeux** pour les malins et les curieux,
> **les vidéos** des auteurs qui racontent leur histoire,

rendez-vous sur

www.HATIERPOCHE.com

Responsable de la collection :
Anne-Sophie Dreyfus
Direction artistique, création graphique
et réalisation : DOUBLE, Paris
© Hatier, 2013, Paris
ISBN : 978-2-218-96975-1
ISSN : 2100-2843

PAPIER À BASE DE
FIBRES CERTIFIÉES

Hatier s'engage pour
l'environnement en réduisant
l'empreinte carbone de ses livres.
Celle de cet exemplaire est de :
150 g éq. CO_2
Rendez-vous sur
www.hatier-durable.fr

Achevé d'imprimer en France par Clerc
Dépôt légal : n°96975-1/04 · décembre 2015